中华人民共和国电力行业标准

# 火力发电厂变频调速系统设计导则

Guide for design of variable frequency control system of fossil-fired power plants

**DL/T 5521—2016**

主编部门：电力规划设计总院
批准部门：国 家 能 源 局
施行日期：2 0 1 7 年 5 月 1 日

中国计划出版社

**2016 北 京**

# 国家能源局

# 公告

## 2016年 第9号

依据《国家能源局关于印发〈能源领域行业标准化管理办法(试行)〉及实施细则的通知》(国能局科技〔2009〕52号)有关规定,经审查,国家能源局批准《煤层气集输设计规范》等373项行业标准,其中能源标准(NB)66项、能源/石化标准(NB/SH)29项、电力标准(DL)111项、石油标准(SY)167项,现予以发布。

上述标准中煤层气、生物液体燃料、电力、电器装备领域标准由中国电力出版社出版发行,煤制燃料领域标准由化学工业出版社出版发行,煤炭领域标准由煤炭工业出版社出版发行,石油天然气领域标准由石油工业出版社出版发行,石化领域标准由中国石化出版社出版发行,锅炉压力容器标准由新华出版社出版发行。

附件:行业标准目录

国家能源局

2016年12月5日

**附件:**

**行业标准目录**

| 序号 | 标准编号 | 标准名称 | 代替标准 | 采标号 | 批准日期 | 实施日期 |
|---|---|---|---|---|---|---|
| …… | | | | | | |
| 170 | DL/T 5521—2016 | 火力发电厂变频调速系统设计导则 | | | 2016-12-5 | 2017-5-1 |
| …… | | | | | | |

# 前　言

根据《国家发展和改革委员会关于印发2008年行业标准计划的通知》(发改办工业〔2008〕1242号)的要求，标准编制组经广泛调查研究，认真总结火力发电厂变频调速系统设计工作经验，参考有关国际标准，并在广泛征求意见的基础上，制定本标准。

本标准主要技术内容是总则，术语，变频调速系统设计，变频调速系统设备选择，控制、保护与安全措施，变频调速系统设备布置等。

本标准由国家能源局负责管理，由电力规划设计总院提出，由能源行业发电设计标准化技术委员会负责日常管理，由中国电力工程顾问集团东北电力设计院有限公司负责具体技术内容的解释。执行过程中如有意见或建议，请寄送电力规划设计总院(地址:北京市西城区安德路65号，邮政编码:100120)。

本标准主编单位、主要起草人和主要审查人:

**主编单位:**中国电力工程顾问集团东北电力设计院有限公司

**主要起草人:**季丽杰　王　喆　刘丽影　魏显安　安力群　姚志国

**主要审查人:**徐剑浩　张　农　李淑芳　王　宁　姚　雯　黄生睿　张朝阳　李国荣　杜小军　梁文军　沈　云　徐　荥　王　彪　陆建莺　朱月涌

# 目　次

# Contents

# 1 总　　则

**1.0.1** 为在设计中合理选用变频调速系统，提高能源利用效率，实现辅机设备高效节能运行，制定本标准。

**1.0.2** 本标准适用于新建、扩建或改建的火力发电厂电压等级为10kV及以下异步电动机变频调速系统设计。

**1.0.3** 变频调速系统设计不应影响机组运行的安全性，系统设备选择应贯彻执行技术成熟、性能可靠、经济适用、使用维护方便的原则。

**1.0.4** 变频调速系统设计除应符合本标准外，尚应符合国家现行有关标准的规定。

# 2 术 语

**2.0.1** 变频调速系统 variable frequency control system

采用变频器改变输出频率和输出电压控制交流异步电动机转速的三相交流电气传动系统。

变频调速系统按直接驱动电动机的额定电压等级分为高压变频调速系统和低压变频调速系统。

**2.0.2** 变频器 variable frequency drive

利用电力电子器件的通断将工频电源转换为其他频率电源的一种供电装置。

**2.0.3** 高压变频器 high voltage variable frequency drive

用于驱动额定电压 1kV～10kV 交流异步电动机的变频器。

**2.0.4** 低压变频器 lcw voltage variable frequency drive

用于驱动额定电压 1kV 以下交流异步电动机的通用或专用变频器。

**2.0.5** "一拖一"方式 one-one model

由一台变频器只为一台电动机供电的接线形式。

**2.0.6** "一拖二"方式 one-two model

由一台变频器，通过设置和操作必要的开关设备，可为两台电动机中任一台供电的接线形式。

**2.0.7** 交-直-交 ac－dc－ac

变频器的一种结构形式。其特征是将交流输入电源，经过整流成为直流电，然后通过中间直流环节逆变成可变频率及电压的交流电源的形式。

**2.0.8** 交-交 ac－ac

变频器的一种结构形式。其特征是将交流输入电源，无中间直流环节，直接转成可变频率及电压的交流电源的形式。

# 3 变频调速系统设计

## 3.1 一般规定

**3.1.1** 变频调速系统应根据工艺负荷特性和运行工况进行设置。

**3.1.2** 变频调速系统基本结构和性能应符合现行国家标准《调速电气传动系统　第2部分:一般要求　低压交流变频电气传动系统额定值的规定》GB/T 12668.2和《调速电气传动系统　第4部分:一般要求　交流电压1000V以上但不超过35kV的交流电气传动系统额定值的规定》GB/T 12668.4的有关规定。

**3.1.3** 高压变频调速系统可由下列部分组成:

1 主回路包括主电源开关、高压变频器及变压器等;

2 旁路回路包括旁路切换及操作设备;

3 控制保护电路包括控制保护设备及其辅助设备;

4 异步电动机。

**3.1.4** 低压变频调速系统可由下列部分组成:

1 主回路包括主电源开关、低压变频器等;

2 控制保护电路包括控制保护设备及其辅助设备;

3 异步电动机。

**3.1.5** 低压变频调速系统可设置下列设备:

1 输入、输出谐波滤波器;

2 输入、输出电抗器或正弦滤波器;

3 输入功率因数补偿装置。

## 3.2 系统接线

**3.2.1** 高压变频调速系统接线设计宜符合下列规定:

1 连续运行无备用的负载宜采用“一拖一”方式(图3.2.1-1)。

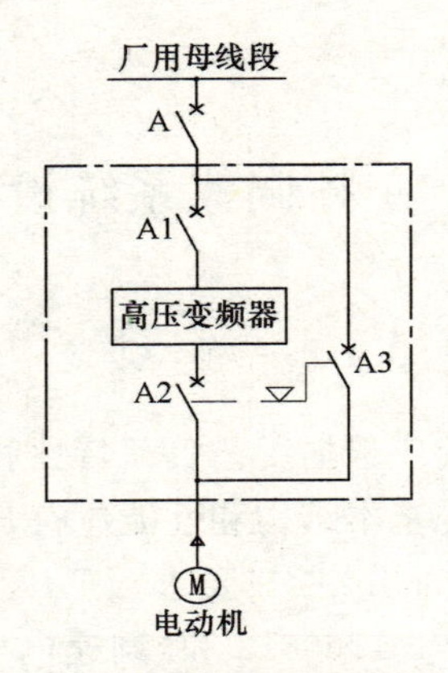


图 3.2.1-1　高压变频器“一拖一”方式

注:1　A、A1、A2、A3 指断路器或接触器。点划线框内表示变频器成套范围。

2　A2、A3 之间具有机械或电气闭锁。

**2**　两台互为备用的负载宜采用“一拖二”方式(图 3.2.1-2 或图 3.2.1-3),当需要时也可采用“一拖一”方式。

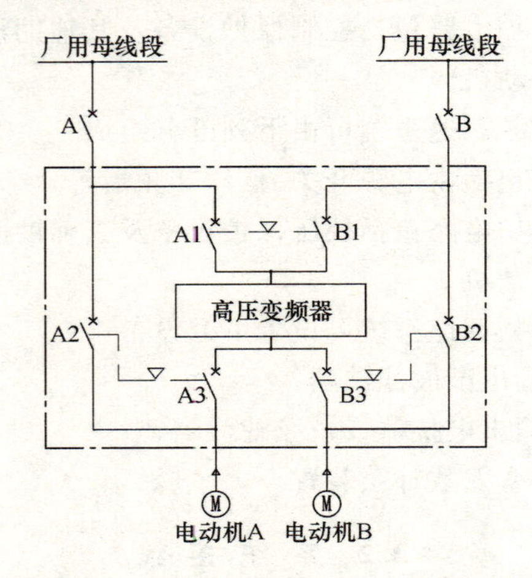


图 3.2.1-2　高压变频器“一拖二”方式 A

注:1　A、A1、A2、A3、B、B1、B2、B3 指断路器或接触器。点划线框内表示变频器成套范围。

2　A1 与 B1、A2 与 A3、B2 与 B3 具有机械或电气闭锁。

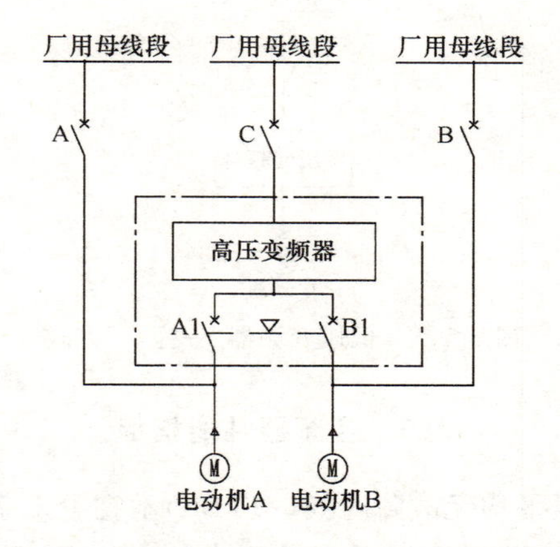


图 3.2.1-3　高压变频器“一拖二”方式 B

注：1　A、B、C、A1、B1 指断路器或接触器。点划线框内表示变频器成套范围。

2　A1 与 B1 具有机械或电气闭锁。

**3**　三台且至少一台备用的负载宜根据变频器的设置数量采用以下方式：

**1)** 当设置一台变频器时，宜采用“一拖二”方式，当需要时也可采用“一拖一”方式；

**2)** 当设置二台变频器时，一台变频器宜采用“一拖一”方式，另一台变频器可采用“一拖二”方式。

**3.2.2**　高压变频调速系统宜设置工频旁路设施，并宜符合下列规定：

**1**　采用“一拖一”方式时，其旁路回路宜采用手动切换方式；

**2**　采用“一拖二”方式时，如条件允许，备用负载的旁路回路可采用自动切换方式。

**3.2.3**　低压变频调速系统宜采用“一拖一”方式(图 3.2.3)，可不配置工频旁路。

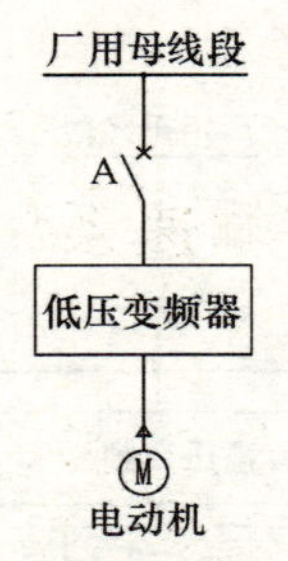


图 3.2.3 低压变频器“一拖一”方式

## 3.3 变频器性能指标

**3.3.1** 变频器平均无故障时间(MTBF)不宜少于50000小时。

**3.3.2** 在输出额定电压、电流和负载功率因数不小于0.80的运行条件下,高压变频器效率不应小于95%,低压变频器效率不应小于96%。

**3.3.3** 变频器功率因数在20%～100%的额定转速内不宜小于0.9。

**3.3.4** 在整个输出频率调节范围内及各相负载对称情况下,变频器输出三相线电压的不平衡度不应大于5%。

**3.3.5** 在正常使用条件下,在整个输出频率调节范围内及各相负载对称情况下,高压变频器输出三相线电压变化率不应大于1000V/μs,低压变频器输出三相线电压变化率不应大于1500V/μs。

**3.3.6** 在整个频率调节范围内,被驱动电动机应能保持稳定运行,在最高输出频率时,变频器的输出电流(功率)不应超过额定电流(功率)的110%。

**3.3.7** 在输出频率调节范围内,高压变频器频率分辨率不宜大于0.02Hz,低压变频器频率分辨率不应大于0.05Hz。

**3.3.8** 在正常工作条件下,在距设备0.5m远、距地面1.2m高范围内,高压变频器及其所属部件运行发出的噪声不应大于80dB,低压变频器及其所属部件运行发出的噪声不应大于70dB。

# 4 变频调速系统设备选择

## 4.1 一 般 规 定

**4.1.1** 变频调速系统设备应满足电气设备使用条件和环境使用条件要求。

**4.1.2** 变频调速系统宜选择谐波电压和谐波电流低的变频器，变频器对厂用母线的谐波影响限制量应符合本标准附录A的规定，当谐波含量超出允许值时，宜采取抑制和耐受措施。

## 4.2 变频器的选择

**4.2.1** 变频器容量与负载电动机的额定容量应相匹配，并应同时满足下列条件：

**1** 变频器输出容量不宜小于电动机额定容量的1.1倍；

**2** 变频器输出电流不应小于电动机额定电流，并宜考虑1.05～1.1的电流修正系数。

**4.2.2** 当具有下列工况或要求时，变频器容量应按下列规定进行修正：

**1** 变频器同时驱动多台电动机并列运行时，其容量不宜小于同时运行的电动机容量之和；

**2** 对于频繁启动、制动负载或重载启动负载，当其最大工作电流超过变频器过载能力时，变频器输出电流应按最大工作电流选择；

**3** 当电动机容量裕度偏大且负载容量尚留有裕度时，变频器容量可按负载轴功率折算至电动机输入功率选择，但变频器容量不应小于电动机额定容量。

**4.2.3** 变频器电压值应按下列原则确定：

1 额定输入电压应采用厂用母线标称电压；

2 输出电压不应小于电动机额定电压。

**4.2.4** 变频器额定输出电流应按本标准第4.2.1条的规定选择，并应符合下列规定：

1 最小输出工作电流不应大于电动机最小转矩时的输出电流；

2 最大输出电流不应小于电动机可能的最大运行转速电流。

**4.2.5** 变频器输出频率范围应满足工艺负载或电动机允许调速范围要求。

**4.2.6** 变频器过载能力应满足在额定转速范围内，最大连续输出电流在120％额定电流时，持续时间不应小于1min；150％额定电流时，持续时间不应小于3s。

**4.2.7** 变频器输出电压变化率不应对电动机绝缘产生损害，当输出电压变化率超出本标准第3.3.5条规定限制时，应设置滤波装置或采取其他有效措施。

**4.2.8** 变频器的控制方式应与工艺负载特性、电动机特性及其运行工况相适应，并应符合下列规定：

1 二次方类负载宜选用电压频率比控制方式；

2 恒转矩类负载宜选用矢量控制方式或直接转矩控制方式；

3 当一台变频器同时驱动多台电动机并列运行时，应选用电压频率比控制方式。

**4.2.9** 高压变频器的选择除应符合本标准第4.2.1条～第4.2.8条的规定外，还应符合下列规定：

1 宜采用交-直-交电压源型，也可采用交-直-交电流源型；

2 宜采用12脉冲及以上整流器结构；

3 宜选择高-高接线。

**4.2.10** 低压变频器宜采用交-直-交电压源型。

**4.2.11** 直接空冷系统轴流风机变频器的选择除应符合本标准第

4.2.1条～第4.2.8条和第4.2.10条的规定外，还应符合下列规定：

1 宜选用适应正反转运行的变频器；

2 宜选用低噪声变频器和低噪声电动机；

3 宜选用输入、输出谐波滤波器；

4 输出端宜配置正弦滤波器，也可采用电抗器；

5 当技术经济合理时，也可配置12脉冲整流的低压变频器。

**4.2.12** 为给煤机、给粉机供电的变频器宜具备低电压穿越能力。

**4.2.13** 变频器冷却方式应根据额定容量、使用环境条件等进行合理选择。

**4.2.14** 当环境温度大于40℃、海拔高度超出1000m或超过制造厂规定的海拔高度值时，应考虑降额修正。变频器的降额修正系数宜采用制造厂的推荐值。

## 4.3 电动机的选择

**4.3.1** 变频调速系统电动机的基本性能和技术要求应符合现行国家标准《旋转电机 定额和性能》GB 755、《轴中心高为56mm及以上电机的机械振动 振动的测量、评定及限值》GB 10068、《旋转电机噪声测定方法及限值 第3部分：噪声限值》GB 10069.3、《变频器供电的笼型感应电动机应用导则》GB/T 20161和现行行业标准《火力发电厂厂用电设计技术规程》DL/T 5153的相关规定。

**4.3.2** 当采用变频专用电动机时，电动机的性能和技术要求应符合现行国家标准《变频器供电笼型感应电动机设计和性能导则》GB/T 21209和《变频调速专用三相异步电动机绝缘规范》GB/T 21707的有关规定。

**4.3.3** 变频调速系统电动机应采用高效节能型三相异步电动机，并应符合下列规定：

1 高压变频调速系统宜选用标准笼型感应电动机；

2 低压变频调速系统宜选用变频专用电动机。

**4.3.4** 变频调速系统电动机宜采用强制冷却方式，当采用自然冷却时，电动机最低运行速度不应低于10%额定转速或由制造厂确认。

**4.3.5** 变频调速系统电动机额定容量（转矩）应与负载额定容量（转矩）相匹配，并应适应变频运行工况。电动机额定值应按下列条件校验：

**1** 应满足电动机最低运行速度时的最大负载转矩需要；

**2** 应满足电动机最大转矩时可能出现的最高转速需要。

**4.3.6** 直接空冷系统轴流风机应选用变频专用电动机。

## 4.4 导体和电器的选择

**4.4.1** 变频调速系统的导体和电器选择应符合现行行业标准《导体和电器选择设计技术规定》DL/T 5222 和《火力发电厂厂用电设计技术规程》DL/T 5153 的有关规定。

**4.4.2** 低压变频调速系统的导体及电器额定电流值宜根据变频器厂提供的谐波数据值进行修正。当缺乏变频器厂家资料时，可按下列规定取值：

**1** 直接为变频器供电的回路导体和电器的额定电流值可按大一级选择；

**2** 接有大量变频器的母线段，其母线和母线进线回路电流裕度值可按该母线段变频器的工频额定电流计算之和的30%选取。

## 4.5 电缆的选择

**4.5.1** 变频调速系统电缆选择应符合现行国家标准《电力工程电缆设计规范》GB 50217 的有关规定。

**4.5.2** 高压变频调速系统电力电缆宜选用普通电力电缆。

**4.5.3** 低压变频调速系统电力电缆宜选用屏蔽电力电缆或铠装电缆，也可选用变频专用电缆；当不选用变频专用电缆时，电缆截面宜按大一级选择。

**4.5.4** 当不采用变频专用电缆时，低压变频器与电动机之间的电力电缆应符合下列规定：

**1** 30kW及以下电动机的接线和10mm² 及以下电缆可采用不对称配置的电缆；

**2** 大于30kW电动机的接线宜采用单芯动力线和多根接地线对称配置的电缆；

**3** 小功率且易于布线的场所宜采用多芯屏蔽电缆；

**4** 大容量多根并联电缆应选用对称的适于布线的连接方式。

**4.5.5** 低压变频调速系统的屏蔽电力电缆可按下列原则选择：

**1** 可选用带一同心铜或铝防护层的三芯电缆；

**2** 可选用带三根对称接地导体和一同心屏蔽/铠装的三芯电缆；

**3** 可选用利用钢或镀锌铁绞线作屏蔽/铠装的三芯电缆。

**4.5.6** 变频调速系统控制、信号、测量及保护回路的电缆应选用屏蔽型控制电缆和计算机电缆。

# 5 控制、保护与安全措施

## 5.1 一 般 规 定

**5.1.1** 变频调速系统电气设备控制及测量设计应符合现行国家标准《电力装置的电测量仪表装置设计规范》GB/T 50063 和现行行业标准《火力发电厂、变电站二次接线设计技术规程》DL/T 5136 的有关规定。

**5.1.2** 变频调速系统电气设备保护设计应符合现行国家标准《电力装置的继电保护和安全自动装置设计规范》GB/T 50062 和现行行业标准《火力发电厂厂用电设计技术规程》DL/T 5153 的有关规定。

**5.1.3** 变频调速系统控制性能应满足工艺负载运行工况、运行效率、调速范围及调速精度要求。

**5.1.4** 变频调速系统应具有电磁兼容及抗干扰能力。

## 5.2 控 制

**5.2.1** 变频调速系统控制宜采用数字化技术，变频器驱动单元宜选用智能模块结构。

**5.2.2** 变频调速系统控制应提供下列基本功能：

**1** 转差补偿功能；

**2** 软启动功能；

**3** 运转设定和频率设定功能；

**4** 瞬时失电再恢复功能；

**5** 低压变频器的能耗制动功能。

**5.2.3** 当运行工况需要时，变频调速系统控制宜具有下列功能：

**1** 自调谐功能；

2 再生制动功能；

3 低频转矩提升功能；

4 转速跟踪再启动功能。

5.2.4 变频调速系统启动、制动控制及加减速时间的设计应满足系统运行、负载及电动机机械特性要求。

5.2.5 变频调速系统的控制电源宜与厂用电源系统控制电源供电原则一致。高压变频器的控制电源宜由双电源供电，其中一路电源宜由在线式UPS提供，由UPS供电时应保证掉电持续时间不小于5分钟。

5.2.6 高压变频调速系统旁路设备控制回路的设计应符合下列规定：

1 当变频器及其辅助系统故障时，应将电动机从变频运行切换到工频旁路运行；

2 当因变频器输出外部电缆或电动机故障时，在变频器跳闸同时可闭锁切换至工频旁路。

5.2.7 变频调速系统接口信号宜包括下列内容：

1 数字量输入包括变频器启动、停止、手动/自动等；

2 数字量输出包括变频器就绪、变频器运行、变频器故障、变频器停止等；

3 模拟量输入包括频率调节或转速给定；

4 模拟量输出包括输出频率、输出电流、输出功率。

5.2.8 变频器可配置通信接口，实现远方控制、监视及报警功能。

## 5.3 保　护

5.3.1 高压变频调速系统主回路电源元件保护设计应符合下列规定：

1 变频供电回路宜按变频器结构类型元件选择；

2 工频供电回路应按电动机元件选择；

3 在变频方式和工频方式下都需要运行的供电回路元件，保护装置宜满足两种运行方式。

**5.3.2** 高压变频调速系统“一拖二”方式旁路回路电源元件保护设计应按电动机设置。

**5.3.3** 高压变频器及其辅助设备保护应包括下列内容：

**1** 变频器输入/输出过电流保护；

**2** 变频器过载保护；

**3** 变频器输入/输出过电压保护；

**4** 变频器欠电压保护；

**5** 变频器超频保护；

**6** 变频器相间短路保护；

**7** 变频器输出接地保护；

**8** 变频器超温保护；

**9** 变频器冷却系统异常保护；

**10** 变频器失速保护；

**11** 变频器输出断相或不平衡电流保护。

**5.3.4** 低压变频器及其辅助设备保护应包括下列内容：

**1** 变频器缺相保护；

**2** 变频器接地保护；

**3** 变频器输出短路保护；

**4** 变频器输出过电流保护；

**5** 变频器过热保护；

**6** 变频器冷却风机异常；

**7** 变频器失速保护。

**5.3.5** 变频运行的电动机保护可由变频器保护功能实现。

## 5.4 电磁兼容与抗干扰

**5.4.1** 变频调速系统电磁兼容性及其试验特性应符合现行国家标准《调速电气传动系统　第3部分：产品电磁兼容性标准及其特定的试验方法》GB/T 12668.3的有关规定。

**5.4.2** 变频调速系统可采用下列方式抑制电磁干扰：

1 电源进线或变频器出线主回路安装滤波器和电抗器；

2 控制仪表电源进线回路安装控制变压器；

3 控制保护回路与主回路之间的信号采用光纤；

4 控制信号线布线远离变频器输入输出动力线；

5 信号控制线相绞绞距小；

6 降低载波频率；

7 电力电缆采用屏蔽措施。

**5.4.3** 变频调速系统的输入电源与控制回路电源宜分别供电，也可设置隔离变压器。变频器控制、测量及信号电源回路应设置独立的保护元件。

## 5.5 接　　地

**5.5.1** 变频调速系统接地设计应符合现行国家标准《交流电气装置的接地设计规范》GB/T 50065 和现行行业标准《火力发电厂、变电站二次接线设计规程》DL/T 5136 的有关规定。

**5.5.2** 变频调速系统接地设计应包括系统保护接地、系统设备及电缆的抑制干扰接地。

**5.5.3** 低压变频调速系统电源侧接地方式宜与低压厂用电系统接地方式一致。

# 6 变频调速系统设备布置

## 6.1 使用环境条件

**6.1.1** 变频调速系统使用环境条件应符合现行国家标准《调速电气传动系统 第2部分：一般要求 低压交流变频电气传动系统额定值的规定》12668.2、《调速电气传动系统 第4部分：一般要求 交流电压1000V以上但不超过35kV的交流调速电气传动系统额定值的规定》12668.4和现行行业标准《火力发电厂厂用电设计技术规程》DL/T 5153的有关规定。

**6.1.2** 变频器应能在下列环境条件下运行：

**1** 环境温度范围为＋5℃～＋40℃；

**2** 相对湿度为5％～85％，无凝露。

**6.1.3** 变频器周围不应有腐蚀性、易燃、易爆气体以及粉尘和油雾。

## 6.2 设 备 布 置

**6.2.1** 变频调速系统设备布置应符合现行行业标准《火力发电厂厂用电设计技术规程》DL/T 5153的有关规定。

**6.2.2** 变频器应采用屋内布置。

**6.2.3** 高压变频器柜、直接空冷系统低压变频器柜宜布置在房间内。

# 附录A 变频调速系统对厂用电源谐波影响限制的规定

**A.0.1** 注入公共连接点谐波电流允许值应符合表A.0.1的规定。

**表A.0.1 注入公共连接点谐波电流允许值**

| 标称电压(kV) | 基准短路容量(MV·A) | 谐波次数及谐波电流允许值(A) | | | | | | | | | | | |
|---|---|---|---|---|---|---|---|---|---|---|---|---|---|
| | | 2 | 3 | 4 | 5 | 6 | 7 | 8 | 9 | 10 | 11 | 12 | 13 |
| 0.38 | 10 | 78 | 62 | 39 | 62 | 26 | 44 | 19 | 21 | 16 | 28 | 13 | 24 |
| 6 | 100 | 43 | 34 | 21 | 34 | 14 | 21 | 11 | 11 | 8.5 | 16 | 7.1 | 13 |
| 10 | 100 | 26 | 20 | 13 | 20 | 8.5 | 15 | 6.4 | 6.8 | 5.1 | 9.3 | 4.3 | 7.9 |
| 标称电压(kV) | 基准短路容量(MV·A) | 谐波次数及谐波电流允许值(A) | | | | | | | | | | | |
| | | 14 | 15 | 16 | 17 | 18 | 19 | 20 | 21 | 22 | 23 | 24 | 25 |
| 0.38 | 10 | 11 | 12 | 9.7 | 18 | 8.6 | 16 | 7.8 | 8.9 | 7.1 | 14 | 6.5 | 12 |
| 6 | 100 | 6.1 | 6.8 | 5.3 | 10 | 4.7 | 9.0 | 4.3 | 4.9 | 3.9 | 7.4 | 3.6 | 6.8 |
| 10 | 100 | 3.7 | 4.1 | 3.2 | 6.0 | 2.8 | 5.4 | 2.6 | 2.9 | 2.3 | 4.5 | 2.1 | 4.1 |

注：1 当公用连接点处的最小短路容量不同于基准短路容量时，应按下式修正表中的谐波电流允许值：

$$I_h = \frac{S_{K1}}{S_{K2}} I_{hp}$$

式中：$S_{K1}$ ——公共连接点的最小短路容量(MV·A)；

$S_{K2}$ ——基准短路容量(MV·A)；

$I_{hp}$ ——第$h$次谐波电流允许值(A)；

$I_h$ ——短路容量为$S_{K1}$时的第$h$次谐波电流允许值(A)。

2 第$h$次谐波电流含有率应按下式计算：

$$HRI_h = \frac{I_h}{I_1} \times 100(\%)$$

式中：$I_h$ ——第$h$次谐波电流(方均根值)；

$I_1$ ——基波电流(方均根值)。

3　谐波电流含量应按下式计算：

$$I_{\mathrm{H}}=\sqrt{\sum_{h=2}^{\infty}(I_h)^2}$$

4　电流总谐波畸变率应按下式计算：

$$THD_{\mathrm{i}}=\frac{I_{\mathrm{H}}}{I_1}\times 100(\%)$$

**A.0.2**　公用电网谐波电压(相电压)限值符合表 A.0.2 的规定。

**表 A.0.2　公用电网谐波电压(相电压)限值**

<table>
<tr><th rowspan="2">电网标称电压<br>(kV)</th><th rowspan="2">电压总谐波畸变率<br>(%)</th><th colspan="2">各次谐波电压含有率(%)</th></tr>
<tr><th>奇次</th><th>偶次</th></tr>
<tr><td>0.38</td><td>5.0</td><td>4.0</td><td>2.0</td></tr>
<tr><td>6</td><td rowspan="2">4.0</td><td rowspan="2">3.2</td><td rowspan="2">1.6</td></tr>
<tr><td>10</td></tr>
</table>

注：1　第 $h$ 次谐波电压含有率应按下式计算：

$$HRU_h=\frac{U_h}{U_1}\times 100(\%)$$

式中：$U_h$ ——第 $h$ 次谐波电压(方均根值)；

$U_1$ ——基波电压(方均根值)。

2　谐波电压含量应按下式计算：

$$U_{\mathrm{H}}=\sqrt{\sum_{h=2}^{\infty}(U_h)^2}$$

3　电压总谐波畸变率应按下式计算：

$$THD_{\mathrm{u}}=\frac{U_{\mathrm{H}}}{U_1}\times 100(\%)$$

# 本标准用词说明

**1**　为便于在执行本标准条文时区别对待，对要求严格程度不同的用词说明如下：

　　**1**）表示很严格，非这样做不可的：

　　　正面词采用“必须”，反面词采用“严禁”；

　　**2**）表示严格，在正常情况下均应这样做的：

　　　正面词采用“应”，反面词采用“不应”或“不得”；

　　**3**）表示允许稍有选择，在条件许可时首先应这样做的：

　　　正面词采用“宜”，反面词采用“不宜”；

　　**4**）表示有选择，在一定条件下可以这样做的，采用“可”。

**2**　条文中指明应按其他有关标准执行的写法为：“应符合……的规定”或“应按……执行”。

# 引用标准名录

《电力装置的继电保护和安全自动装置设计规范》GB/T 50062

《电力装置的电测量仪表装置设计规范》GB/T 50063

《交流电气装置的接地设计规范》GB/T 50065

《电力工程电缆设计规范》GB 50217

《旋转电机　定额和性能》GB 755

《轴中心高为 56mm 及以上电机的机械振动　振动的测量、评定及限值》GB 10068

《旋转电机噪声测定方法及限值　第 3 部分：噪声限值》GB 10069.3

《调速电气传动系统　第 2 部分：一般要求　低压交流变频电气传动系统额定值的规定》GB/T 12668.2

《调速电气传动系统　第 3 部分：产品的电磁兼容性标准及其特定的试验方法》GB 12668.3

《调速电气传动系统　第 4 部分：一般要求　交流电压 1000V 以上但不超过 35kV 的交流调速电气传动系统额定值的规定》GB/T 12668.4

《变频器供电的笼型感应电动机应用导则》GB/T 20161

《变频器供电笼型感应电动机设计和性能导则》GB/T 21209

《变频调速专用三相异步电动机绝缘规范》GB/T 21707

《火力发电厂、变电所二次接线设计技术规程》DL/T 5136

《火力发电厂厂用电设计技术规程》DL/T 5153

《导体和电器选择设计技术规定》DL/T 5222

中华人民共和国电力行业标准

# 火力发电厂变频调速系统设计导则

**DL/T 5521—2016**

## 条 文 说 明

# 制订说明

《火力发电厂变频调速系统设计导则》DL/T 5521—2016，经国家能源局2016年12月5日以第9号公告批准发布。

本标准在制订过程中，认真贯彻执行国家的技术经济及节能减排政策，使火力发电厂变频调速系统设计达到技术先进、经济合理、质量保证、安全适用的水平。通过总结火力发电厂变频调速系统的运行管理经验，调查变频器运行现状及存在问题，收集相关经验和数据，对火力发电厂变频调速系统设计提出基本要求；在深入分析研究有关变频器产品使用、制造标准内容的基础上，借鉴工程实践经验，收集各制造厂变频器产品特性及设计中的经验和存在问题，为编制本标准提供依据。

本标准在变频器对电网及电动机的谐波污染与抑制措施、变频电缆的应用及推广方面尚需深入研究，以期有效指导变频调速系统的设计和应用。

为了便于广大设计、施工、科研、学校等单位有关人员在使用本标准时能正确理解和执行条文规定，编制组按章、节、条顺序编制了本标准的条文说明，对条文规定的目的、依据以及执行中需注意的有关事项进行了说明。但是，本文说明不具备与标准正文同等的法律效力，仅供使用者作为理解和把握标准规定的参考。

# 目　　次

# 1 总　　则

**1.0.2** 火力发电厂通常包括燃煤发电厂、燃气发电厂、燃油发电厂和垃圾发电厂。

本标准适用范围为“火力发电厂电压等级为10kV及以下异步电动机变频调速系统设计”，目的是实现节能降耗，提高设备运行效率。对于某些负载，仅在机组启动过程投入或因容量大、自启动受限等因素要求配置的变频调速装置，不在本标准规定的范围内，如燃机变频启动装置等。

# 2 术　语

**2.0.1** 根据《调速电气传动系统　第2部分:一般要求　低压交流变频电气传动系统额定值的规定》GB/T 12668.2和《调速电气传动系统　第4部分:一般要求　交流电压1000V以上但不超过35kV的交流电气传动系统额定值的规定》GB/T 12668.4对"交流电气传动系统(PDS)"的定义范畴,提出"变频调速系统"定义。同时,为了与《调速电气传动系统　第2部分:一般要求　低压交流变频电气传动系统额定值的规定》GB/T 12668.2和《调速电气传动系统　第4部分:一般要求　交流电压1000V以上但不超过35kV的交流电气传动系统额定值的规定》GB/T 12668.4规定范围保持一致,便于明确各自的组成内容,引出"高压变频调速系统"和"低压变频调速系统"的分类定义。

# 3 变频调速系统设计

## 3.1 一 般 规 定

**3.1.1** 本条明确了工艺系统的负载配置变频调速装置的基本原则。

本标准适用于以提高能源利用效率，实现辅机设备高效节能运行为目的的配置的变频调速装置。由于工艺系统的负载调速方式选择与工艺系统设置、负载形式、负载机械特性、负载配置数量及其运行方式等条件密切相关，因此辅机系统负载是否采用变频调速装置以及变频调速装置的配置需经过工艺专业的技术经济比较确定。

在实际工程中变频调速装置的应用状况：

锅炉部分重要风机是否设置变频器一般根据设备形式确定。引风机一般选调速离心式风机、动叶可调轴流式风机或静叶可调轴流式风机，对于离心式风机适宜变频调速，大容量机组引风机在选用静叶可调轴流式风机时也可配置变频调速装置，而对于动叶可调轴流式风机一般不需要配置变频调速装置。送风机一般选动叶可调轴流式风机，也有选离心式风机的，对于动叶可调轴式流风机一般不需配变频调速装置，当选用离心风机时可考虑采用变频调速装置。

汽机部分凝结水泵广泛采用变频调速装置驱动。一般按纯凝机组、供热机组条件装设两台 100%容量凝结水泵或三台 50%容量凝结水泵，其中三台 50%容量的凝结水泵两台工作一台备用。热网系统的补给水泵一般采用变频调速。

锅炉制粉系统的给煤机、给粉机广泛采用变频调速驱动。制粉系统一次风机在选用离心式风机时可考虑变频调速装置驱动，但由于一次风机存在喘振失速风险，所以在实际中应用案例并不多见。

直接空冷系统轴流风机运行工况受季节性变化影响较大。在寒冷地区、温差大，运行方式变化较大的条件下，轴流风机选用变频调速比定速或双速风机的经济性好，因此一般均采用变频调速驱动。

电动给水泵采用液力耦合器调速方式比较多，在改造案例中，也有采用变频器调速装置的。供热电厂母管制电动给水系统，通过变频的调速给水泵与定速给水泵并列运行，共同维持母管压力恒定，可提高给水质量，降低厂用电率。

供水系统循环水泵采用变频调速方式较少，而供热机组供水系统循环水泵采用变频器的可行性和必要性大于纯凝机组。

除灰（渣）系统，由于运行条件比较恶劣，操作频繁，电动机易过负荷，因此在电厂灰浆泵、渣浆泵采用变频调速装置更具有实际意义，可改善工艺条件和延长设备的使用寿命，减少维修工作量。

通过对应用案例统计分析，火力发电厂工艺系统的负载采用变频调速装置的广泛程度各不相同。表1给出火力发电厂通常应用变频调速系统的工艺负载清单，供参考。

**表1 火力发电厂变频调速系统应用一览表**

| 序号 | 名称 | 电压等级 | 备　注 |
|---|---|---|---|
| (一)锅炉部分 | | | |
| 1 | 引风机 | 高压 | 一般离心风机或静叶可调轴流风机时应用 |
| 2 | 送风机 | 高压 | 一般离心风机应用 |
| 3 | 一次风机 | 高压 | 一般离心风机应用 |
| 4 | 增压风机 | 高压 | 一般离心风机应用 |
| 5 | 空压机 | 高压或低压 | |
| 6 | 给煤机 | 低压 | 刮板给煤机或称重给煤机 |
| 7 | 给粉机 | 低压 | 叶轮给粉机 |

**续表 1**

| 序号 | 名称 | 电压等级 | 备注 |
|---|---|---|---|
| (二)汽机部分 | | | |
| 1 | 凝结水泵 | 高压 | |
| 2 | 电动给水泵 | 高压 | 一般在供热机组上应用 |
| 3 | 热网循环水泵 | 高压 | |
| 4 | 加热器凝结水泵 | 高压 | 一般在供热机组上应用 |
| 5 | 补给水泵 | 高压或低压 | 一般在供热机组上应用 |
| 6 | 热网疏水泵 | 低压 | |
| (三)除灰部分 | | | |
| 1 | 灰浆泵 | 高压或低压 | |
| 2 | 灰渣泵 | 高压或低压 | |
| (四)供水部分 | | | |
| 1 | 循环水泵 | 高压 | 一般在供热机组上应用 |
| 2 | 冲洗水泵 | 低压 | |
| 3 | 工业水泵 | 低压 | |
| (五)直接空冷机组空冷岛部分 | | | |
| 1 | 轴流风机 | 低压 | |
| (六)化学水部分 | | | |
| 1 | 反渗透高压泵 | 低压 | |
| 2 | 超滤反洗水泵 | 低压 | |
| 3 | 自动加药计量泵 | 低压 | 包括酸(碱、还原、阻垢)自动加药计量泵 |
| 4 | 除盐水补水泵 | 低压 | |
| 5 | 清水泵 | 低压 | |
| 6 | 澄清水泵 | 低压 | |
| 7 | 原水提升泵 | 低压 | |
| (七)给排水部分 | | | |
| 1 | 生活消防水泵 | 低压 | |
| 2 | 中间水泵 | 低压 | |
| (八)输煤部分 | | | |
| 1 | 叶轮给煤机 | 低压 | |

**3.1.3** 参考现行国家标准《调速电气传动系统 第4部分:一般要求 交流电压1000V以上但不超过35kV的交流电气传动系统额定值的规定》GB/T 12668.4“电气传动系统(PDS)”框图定义，本标准与其保持一致。高压变频调速系统组成框图见图1。

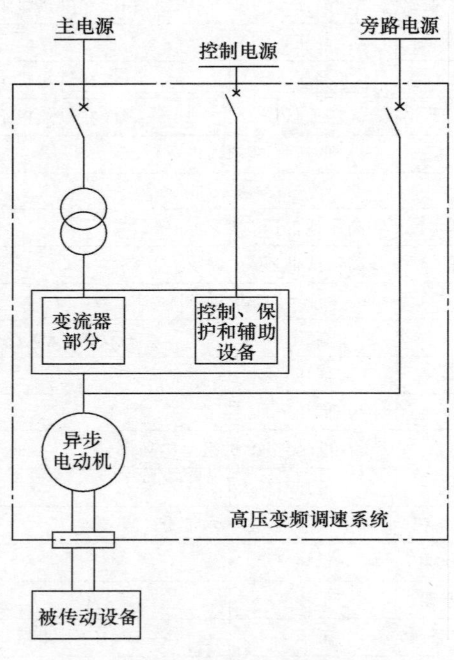


图1 高压变频调速系统框图

**3.1.4** 参考《调速电气传动系统 第2部分:一般要求 低压交流变频电气传动系统额定值的规定》GB/T12668.2对“电气传动系统(PDS)”框图的定义,本标准与其保持一致。低压变频调速系统组成框图见图2。

**3.1.5** 本条是基于低压变频器的谐波影响比较严重提出的限制性措施。可结合具体工程对谐波限制值在订货的技术规范书中提出,由变频器设备内置或外配。

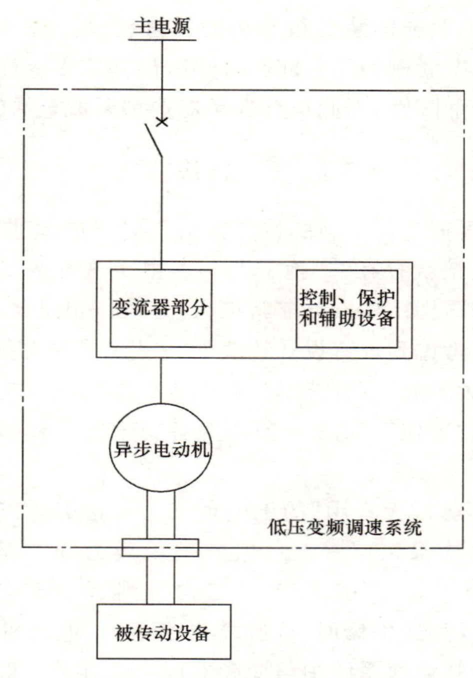

图 2　低压变频调速系统框图

1　电压源型低压变频器及正弦脉宽调制（SPWM）的控制技术，使变频器输出电压产生的矩形脉冲在电动机中性点形成共模电压，即变频器输出零序电压，正常情况下由于三相正弦波电源是平衡对称的，中心点零序电压应为零，当变频器输出的零序电压不为零时，对电网、电动机及其他设备形成谐波干扰。在变频器输入端和输出端安装 LC 形滤波器，可以吸收谐波和增大电源与负载阻抗，达到抑制谐波的目的。

2　输入输出侧串接合适的电抗器，可有效抑制高次谐波，减少电源浪涌对变频器的冲击，改善变频器的过电流和过电压。需要注意：输出电抗器的容量选择应将其电压降控制在一定范围，防止压降过大影响电动机输出转矩。

3　功率因数补偿装置指专用的补偿装置。功率因素补偿和谐波衰减是两个紧密相关的问题，此外，局部或多重性的补偿会增加系统共振的危险性，因此结合变频器选型采取全局的补偿方案。

## 3.2　系统接线

**3.2.1**　本条根据工艺负载的特点提出。据调查，早期的高压变频调速系统设计接线存在“一拖三”方式，由于这种接线方式使变频调速系统的旁路柜结构设计非常庞大，且操作切换比较复杂，现已不多见。同时考虑到现有设计接线的“一拖一”方式和“一拖二”方式，可以适应大多数负载的配置方案，为此本标准不推荐高压变频调速系统采用“一拖三”方式。以下为各类工艺负载的变频调速系统接线方式：

1　“连续运行无备用”的工艺负载主要指引风机、送风机、一次风机或电动给水泵组等。一般此类负载为50%容量、双套配置，正常连续运行。采用“一拖一”方式，正常运行时电动机变频运行；当变频器故障或检修时，变频器退出运行，电动机切换至工频旁路运行。变频调速系统中与变频器成套的开关一般与其电源输入开关选型一致。

2　“两台互为备用”的工艺负载主要指100%容量的凝结水泵、热网补给水泵等。推荐采用的“一拖二”方式，正常运行时，两台泵一台变频运行，另一台以工频旁路备用，当变频器因故障或检修退出运行时，变频运行的工作泵电动机退出运行，此时经手动或自动投入工频旁路备用电动机，备用泵运行。另外，采用“一拖二”方式适于两台泵定期检修的“倒泵”需要，操作简单，维护方便。当采用“一拖一”方式时，一般需要固定某一台泵为变频运行泵。其中，正常运行时由变频器供电的泵电动机变频运行，另一台泵电动机直接接入工频电源作工频备用，当变频器因故障或检修退出运行时，接入变频器的泵电动机退出运行，接入工频电源的备用泵电动机按工艺连锁程序自动投入运行。由于固定了某一台泵为变频泵，当需要“倒泵”操作时，此时只能通过拆线方式，操作复杂，维护不便。

**3** “三台且至少一台备用”的工艺负载主要指50%容量凝结水泵、循环水泵、热网循环泵、热网凝结水泵、疏水泵、灰浆泵和灰渣泵等。推荐采用“一拖一”方式或“一拖二”方式，取决于变频器设置的数量。一般不建议备用泵采用变频方式备用，因为一方面造成资源浪费，不能充分体现变频调速系统的作用，另一方面也存在事故切换的风险，如当工频泵故障时，变频泵无法在短时间内达到全速运行以维持母管压力的稳定条件。

图3.2.1-1～图3.2.1-3中电源开关选用断路器或接触器与厂用电接线原则要求一致。

**3.2.2** 本条主要考虑高压变频器的可靠性尚不能达到发电机组运行可靠性的要求，工频旁路回路用于高压变频器设备故障或检修时，将电动机退出变频运行并能切换到旁路工频运行，或将备用负载通经工频旁路投入运行，保证供电连续性要求，变频运行的电动机是否允许自动切换至工频运行，受工艺系统及负载运行条件限制。

**3.2.3** 在发电厂，低压工艺系统采用变频调速负载很多，典型负载主要有锅炉系统给煤机、给粉机、直接空冷系统的轴流风机、化学水系统加药计量泵等。在工程案例中，采用按每台电动机配置一台变频器的情况较多，这取决于工艺系统与机组安全运行要求。不设置工频旁路，也可简化接线。

## 3.3 变频器性能指标

**3.3.1** 经对变频器厂家进行调研，目前国内外高、低压大部分变频器厂家可做到变频器的MTBF不小于50000小时，兼顾投资与设备制造因素，提出本条规定。

**3.3.2** 本条经对变频器厂家进行调研后而提出了推荐效率。

**3.3.3** 在正常工频运行下，电动机功率因数一般为0.80左右，在额定功率输出时随负载功率下降功率因数而减小，在加入变频器后，变频器的输入端产生高次谐波电流（含量较大的5次或7次谐波）会使功率因数下降，约为0.7～0.75。改善功率因数的基本途径就是削弱高次谐波。通过串入交流电抗器、直流电抗器，可有效改善变频器的功率因数。

**3.3.5** 本条依据现行行业标准《火电厂风机水泵用高压变频器》DL/T 994—2006第6.11条规定和《低压变频调速装置技术条件》DL/T 339—2010第5.3.3条提出，分别给出高压变频器和低压变频器的性能要求。

**3.3.7** 本条依据现行行业标准《火电厂风机水泵用高压变频器》DL/T 994—2006第6.12条规定和《低压变频调速装置技术条件》DL/T 339—2010第5.3.6条分别给出了高压变频器和低压变频器的性能要求。

**3.3.8** 本条依据现行行业标准《火电厂风机水泵用高压变频器》DL/T 994—2006第6.20条规定和《低压变频调速装置技术条件》DL/T 339—2010第5.10条分别给出了高压变频器和低压变频器的性能要求。

# 4 变频调速系统设备选择

## 4.1 一 般 规 定

**4.1.2** 研究表明，变频器产生的谐波会对供电电源、系统设备及其他设备产生严重危害，选择谐波电流和谐波电压低的变频器是减少谐波干扰的措施之一。本标准附录A给出的限值是依据现行国家标准《电能质量 公用电网谐波》GB/T 14549—1993及《半导体变流器与供电系统的兼容及干扰防护导则》GB/T 10236—2006提出的。由于现行国家标准《电能质量 公用电网谐波》GB/T 14549—1993针对公用电网，适用工业和民用，谐波限制要求严格，考虑到本标准涉及的范围仅为发电厂的厂用电源系统，不宜要求太严，因此提出“当谐波含量超出允许值时，宜采取抑制和耐受措施”。当厂用电系统集中接入低压变频器负载时，比如直接空冷机组的轴流风机，通常选用6脉冲的低压变频器，低压变频器所接的低压交流母线谐波电压无法满足的，这时建议应采取抑制和耐受措施，具体设计要求可见现行行业标准《火力发电厂厂用电设计技术规程》DL/T 5153—2014第4.7节的规定。

## 4.2 变频器的选择

**4.2.5** 本条规定的变频器输出“频率范围”是指变频器一个技术参数，与“调速范围”是两个完全不同的含义。“调速范围”是衡量系统变速能力的一项指标，有两种表达方式，本质相同：一是以调速系统实际可以达到的最低转速与最高转速之比表示，如1∶100等，二是以最高转速与最低转速的比值（$D$值）表示，如$D=100$等。变频器输出频率即变频器实际输出的频率，实际输出频率不等于给定信号相对应的频率，变频器的最大频率与最大给定频率相对应，也是变频器允许输出的最高频率。对于同样极对数的电动机，频率越高，可以达到的最高转速也越大，当频率不变时，其调速范围也越大。大多数情况下，以电动机的额定频率作为最大频率，不会大于电动机的最大允许频率。

**4.2.6** 本条根据《调速电气传动系统 第2部分：一般要求 低压交流变频电气传动系统额定值的规定》GB/T 12668.2和《调速电气传动系统 第4部分：一般要求 交流电压1000V以上但不超过35kV的交流调速电气传动系统额定值的规定》GB/T 12668.4中有关变频器过载能力规定，结合对变频器厂家产品能力调研后提出要求。由于变频器采用的半导体电子元器件的额定值与其他电器元件不同，当超出最大额定值，即使运行时间极短也会受损，本标准规定的过载能力是基于二次方类负载特性提出的。

**4.2.8** 本条规定了变频器控制方式的选择依据。

“电动机特性”主要指电动机的机械特性的硬度特性，即要求在负载变化时转速改变要小；第二是低频时带负载能力，也即低频运行时具有的足够大电磁转矩；第三是保证启动转矩，也称堵转转矩（即当电动机接通电流、转速为零时的转矩大小），一般启动转矩应大于额定转矩的1.5倍；第四是动态响应能力，也即转速随负载转矩突然增加或减少时的恢复能力。

电厂大多数辅机负载为风机、泵类负载，二次方负载不易过载，一般可采用电压频率（$U/f$）比控制方式。$U/f$ 比控制的变频器适用于过载能力较低、低速时的转矩较小的负载，当负载要求启动力矩大、转速精度或动态性能要求高时，可选用具有矢量控制（VC）方式或直接转矩控制（DTC）方式的变频器。矢量控制方式具有固有自动转矩限幅、快速转速跟踪再启动等功能，可防止在加速过程的过电流和减速过程中的过电压，或因电网波动等不正常原因引起的停机故障现象。

恒转矩负载的特点为负载转矩的大小取决于负载的轻重，与转速的大小无关，典型负载如带式输送机、给煤机。对于恒转矩负载，在低速运行时也要求能带动负载，即需要变频器提供足够的转矩，因此宜选用具有矢量控制或直接转矩控制的变频器，此类负载不适于采用仅具备电压频率比控制方式的变频器。据调查，带式输送机在煤矿行业、钢铁行业应用变频调速案例普遍，目前在发电厂的应用还不多见。

为防止电流分配不均匀，对于一台变频器同时驱动多台电动机并列运行的变频器，只能选用 $U/f$ 比控制方式。

**4.2.9、4.2.10** 本条主要规定高、低压变频器拓扑结构的选择要求。

“交-直-交”是相对“交-交”而言的，主要区别在于是否含有“直流环节”。

“电压源”和“电流源”的区别是中间直流滤波环节，配置电容元件时为“电压源”，配置电感元件时为“电流源”。

“高-高接线”指将高压变频器直接输入高压电源，输出电压直接为高压电动机供电，高压变频器的输入或输出侧不需设置专用的降压或升压变压器。与“高-高接线”相对的“高-低-高接线”，是指选用低压变频器，并将高压电源经变压器降压后与之连接，然后在低压变频器输出侧经变压器升压连接到高压电动机上，此种接线多用于小功率高压电动机变频器装置。

**4.2.12** 本条结合国家电网公司的要求提出。所谓“低电压穿越”是指因某种原因造成电网系统短时低电压，低电压进入厂内供电网络，导致厂用电源瞬时电压降低的现象。据反馈，某电厂因低电压穿越，造成机组给煤机失电跳闸，触发全燃料丧失，MFT 动作。经了解相关专业，类似给煤机等重要锅炉辅机，必须参与启动锅炉连锁逻辑，由于给煤机采用变频器，即便短时低电压，变频器也会失去输出电源，导致给煤机跳闸并启动锅炉保护跳闸出口，为此提出变频器具有“低电压穿越”能力。由于国家电网公司要求，现已有许多电厂都要求配置“低电压穿越”或其他相关内容，故本标准做出规定。

**4.2.13** 变频器的冷却方式一般包括自然散热、对流散热（风冷）、液冷散热（水冷或其他介质冷却）。中小容量变频器普遍采用自然散热或对流散热方法。变频器容量较大时，发热量需要液体冷却散热。合理配置是指适度选择风机、散热器，使功率消耗合理，性价比最优。

## 4.3 电动机的选择

**4.3.1、4.3.2** 目前用于变频调速系统的电动机有以下两种类型：

第一类为一般用途设计的标准笼型感应电动机。这类型电动机的设计和性能经过优化以适应在恒频正弦波供电电压下运行，但它们仍然适用于变频驱动系统。现行国家标准《变频器供电的笼型感应电动机应用导则》GB/T 20161—2006 给出了在这些场合的应用导则。即本标准第 4.3.3 条的“标准笼型感应电动机”。

第二类为变频供电专用设计的笼型感应电动机。这类型电动机的设计和结构以标准笼型感应电动机符合标准的机座号及尺寸为基础，但进行了一些改造以适应变频供电运行。现行国家标准《变频器供电笼型感应电动机设计和性能导则》GB/T 21209—2007 给出了 1000V 以下电压源供电变频器的电动机应用导则，即指本标准第 4.3.3 条“变频专用电动机”。

**4.3.3** 本条依据高、低压变频器结构特性及对电网或用电设备的影响状况提出。

**1** 高压变频器容量大，结构复杂，按照本标准选用的高压变频器，设计上采用 12 脉冲及以上的整流电路、单元串联多电平结构的功率单元、移相变压器及各类谐波滤波器等，实际输出的波形基本为正弦波，且谐波含量可在相关标准规定允许范围之内，对电网及用电设备产生的影响可控，因此建议高压变频调速系统电动机选用标准笼型感应电动机。当变频调速系统选用绕线型感应电动机时，应将其转子短接。

**2** 低压变频器普遍采用 6 脉冲整流单元，会产生较多的谐波电流和谐波电压，同时对电动机产生轴电流、轴电压，使电动机发热、绝缘能力降低，损耗加大，寿命缩短。当低压系统集中布置变频器时，谐波的危害会更加严重，如某电厂直接空冷机组连续烧毁多台轴流风机。所以建议低压变频调速系统宜选用变频专用电动机，直接空冷机组轴流风机应选用变频专用电动机。

**4.3.4** 一般情况下，中小容量电动机散热主要靠转子轴上自带的风扇与内部进行空气交换，当电动机低频运行时由于转速降低，通风变差，导致电动机轴承内部温度升高，电动机带载能力也随之下降；现行国家标准《变频器供电笼型感应电动机设计和性能导则》GB/T 21209—2007 第 4.6 条“对电动机的要求”提出“轴承长期运行于 10％基速以下，滑动轴承性能要由制造厂确认”。

**4.3.5** 本条规定同第 4.3.3 条的条文说明。

## 4.4 导体和电器的选择

**4.4.2** 低压变频器运行时谐波较严重，为避免谐波引起导体和电气设备的发热甚至故障，应留有一定裕度，裕度值宜根据制造厂提供的变频器谐波含量选取。工程初期缺乏设备资料时，参考对直接空冷发电机组谐波治理的研究成果，直接为变频器供电的回路导体和设备的电流裕度可按比普通工频运行时放大一级选择；对直接空冷机组的空冷 PC 段等接有大量变频器的母线段，其母线和母线进线回路裕度可按由其供电的所有变频器的工频额定计算电流之和的 30％选取。

## 4.5 电缆的选择

**4.5.4** 本条要求基于现行国家标准《变频器供电笼型感应电动机设计和性能导则》GB/T 21209—2007 第 9.1.4.1 条和第 9.1.4.2 条提出，推荐的电缆类型及布线规则具有抗电磁干扰的能力。

其中“单芯动力线和多根接地线”对称配置的特点是“每相电缆由 1 根单芯电缆＋1 根 N(接地)＋1 根 PE(接地)组成”，三相构成对称配置。

连接大容量变频器和电动机时因电流很大需要多根电缆并联，此时采用如图 3 所示的对称布线方式。

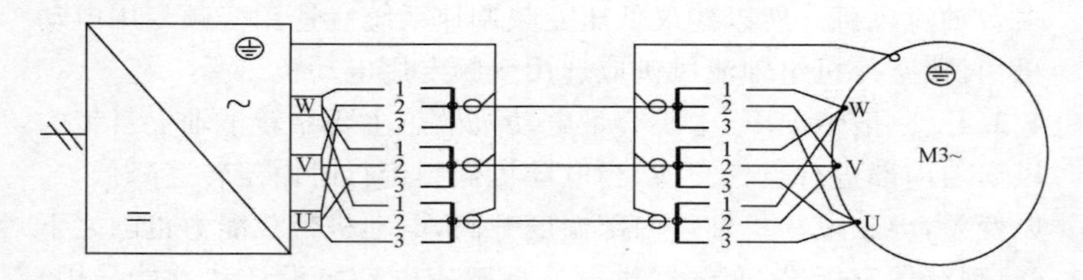


图 3　大容量变频器和电动机多根电缆布线

**4.5.5**　本条要求基于现行国家标准《变频器供电笼型感应电动机设计和性能导则》GB/T 21209—2007 第 9.1.4.1 提出，推荐的屏蔽电缆具有抗电磁干扰的能力。

**1**　带一同心的铜或铝防护层的三芯电缆及其连接方式见图 4，其中 Scu 为同心铜(或铝)屏蔽，Txfr 为变压器，Cv 为变频器。各相线彼此等距且与屏蔽层等距，屏蔽层作为防护导体。

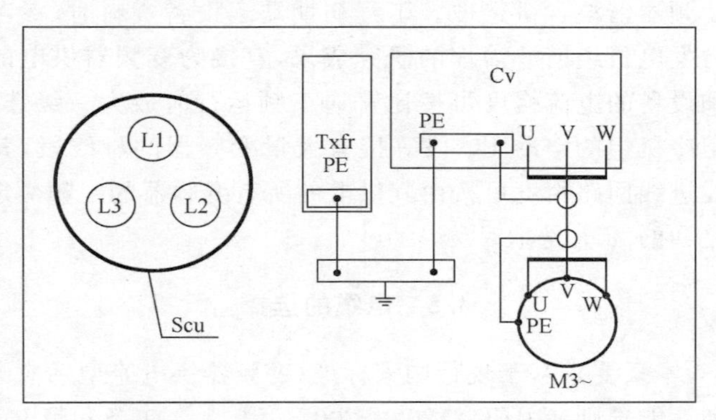


图 4　带一同心的铜或铝防护层的三芯电缆

**2**　带三根对称接地导体和一同心屏蔽/铠装的三芯电缆及其连接方式见图 5，其中 Scu 为同心铜(或铝)屏蔽，Txfr 为变压器，Cv

为变频器。此类电缆屏蔽层仅用于抗电磁干扰和人身保护。

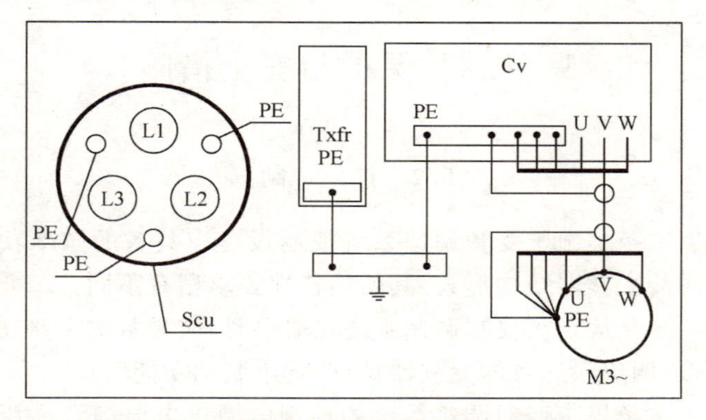


图5 带三根对称接地导体和一同芯屏蔽/铠装三芯电缆

3 利用钢或镀锌铁绞线作屏蔽/铠装的三芯电缆及其连接方式见图6,其中Afe为钢带铠装,Txfr为变压器,Cv为变频器,PEs为独立的接地线。如果屏蔽层的横断面不够大,需另加一独立的接地导体。

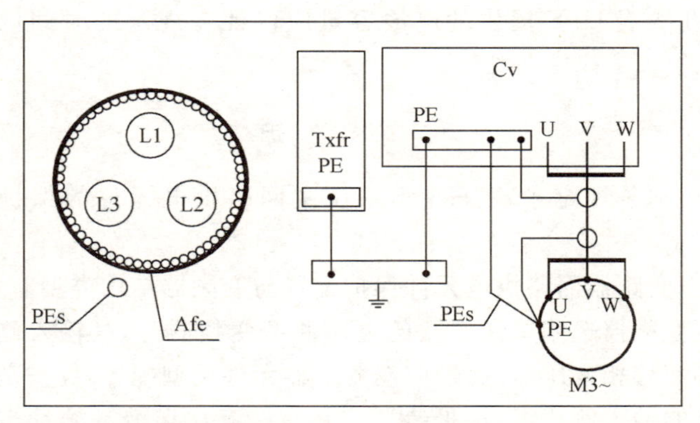


图6 用钢和镀锌铁绞线(小节距)作屏蔽/铠装的三芯电缆

**4.5.6** 控制、信号、测量及保护回路控制电缆设置屏蔽主要是考虑降低变频器产生的谐波干扰,计算机电缆已带屏蔽。

# 5 控制、保护与安全措施

## 5.2 控　　制

**5.2.2** 本条提出了变频调速系统控制设备应具备的基本功能要求,不同的变频器结构形式,其功能特性要求稍有不同。

**5.2.3** 本条规定了变频调速系统在需要时,应具备的一些功能要求。一般四象限运行的变频器具有“再生制动功能”。

**5.2.5** 本条提出变频调速系统的控制电源供电原则和高压变频器的控制电源供电要求。一般情况下,高压变频调速系统主回路或旁路电源开关的控制电源均为直流,而低压变频调速系统的控制电源可根据相关负荷性质及布置情况采用直流或交流。考虑到发电厂运行的连续性及重要性,为保证切换过程的无扰动,高压变频器控制回路采用双路电源自动切换供电,在线式 UPS 提供备用电源,在线式 UPS 提供的电池容量应保证在规定的时间内连续供电。

## 5.3 保　　护

**5.3.1** 本条规定了高压变频系统主回路供电元件的保护配置原则。

**1** 变频器回路供电元件保护配置与变频器结构类型有关;通常高压变频器选用单元串联的电压源型变频器时,其输入侧一般设置隔离移相变压器,保护应按变压器元件类型配置,保护范围至变压器的输入侧绕组;保护装置应具有抗高次谐波频繁冲击的能力。当高压变频器选用电流源型变频器时,输入侧不含变压器元件,保护应按电源馈线类型配置,保护范围延伸至变频器的输入电源馈线末端。

2　工频回路只为工频运行电动机供电，可按电动机元件配置保护。

3　对于“一拖一”或“一拖二”(2开关)方案，一般电源开关在变频方式和工频方式下都需要投入运行，且所保护元件类型不同，此时应提供单独的保护装置，在不同工况下选择投入或退出。

**5.3.2**　本条规定了高压变频调速系统“一拖二”方式的工频旁路回路供电元件的保护原则。

**5.3.3**　本条规定了高压变频器应提供的基本保护。

**5.3.4**　本条规定了低压变频器应提供的基本保护。

## 5.4　电磁兼容与抗干扰

**5.4.2**　变频器调速系统对电网及其他用电设备的电磁干扰主要由于变频器输入和输出电流中具有高次谐波，由电路传导产生的高频谐波及漏电流干扰信号；由电磁感应产生的高频差模干扰信号；由静电感应产生的高频共模干扰信号及在空中辐射的电磁波干扰信号，针对不同的电磁干扰信号采用不同的抑制方式。

**5.4.3**　本条提出变频调速系统的高压变频器系统可以做到电力与控制回路分开供电。低压变频器的控制回路可通过控制变压器与动力供电分开方式。

## 5.5　接　　地

**5.5.3**　变频调速系统中性点接地方式与厂用电系统一致主要是考虑运行维护方便。虽然为低压变频调速装置供电的变压器二次侧中性点采用不接地方式时可以减轻共模电压对电动机的影响，但考虑抑制共模电压有设置电抗器、滤波器等多种方式，不必一定采用变压器二次侧中性点不接地，因此本标准对此未做特殊要求。

# 6　变频调速系统设备布置

## 6.2　设备布置

**6.2.2、6.2.3**　通常变频器的安装位置要求无直射阳光，无腐蚀性气体及易燃气体，尘埃少，应在屋内布置。考虑到发电机组安全运行要求，发电厂的高压变频器、直接空冷系统低压变频器等屏柜均安装在室内，按电气配电间的条件提出防护和通风要求，并对其进行布置。